Berceuses
de mon enfant

Dodo l'enfant do

Île-de-France

Do - do l'en - fant do L'en - fant dor - mi - ra bien vi - te

Do - do l'en - fant do L'en - fant dor - mi - ra bien - tôt

Dodo l'enfant do
L'enfant dormira bien vite
Dodo l'enfant do
L'enfant dormira bientôt

Cette berceuse est l'une des plus anciennes et des plus répandues dans toute la France.
Sa mélodie a très peu évolué depuis le XVIIᵉ siècle.
On trouve en Wallonie une version un peu plus longue dont le ton menaçant semble
bien étonnant pour notre imaginaire actuel.

Et s'il ne dort pas
Nous lui couperons l'oreille
Dodo l'enfant do
L'enfant dormira bientôt

Et s'il ne dort pas
Nous lui couperons le nez...

Et s'il ne dort pas
Nous lui couperons la langue...

Et s'il ne dort pas
Nous lui couperons la tête...

Toutouig

Bretagne

Tou- tou- ig la la va ma- big Tou- tou- ig - la la Da vamm a zo a- man koan- tig Ouz da lus- kel- lad mi- gno- nig Tou- tou- ig la la va ma- big Tou- tou- ig la la

Toutouig, lala, va mabig
Toutouig lala
Da vamm a zo aman, koantig
Ouz da luskellad, mignonig
Toutouig, lala, va mabig
Toutouig lala

Toutouig, lala, va mabig
Toutouig lala
Da vamm a zo aman, oanig
Dite, o kana he sonig
Toutouig…

Toutouig…
En deiz all e ouele, kalzig
Hag hirio e c'hoarz, da vammig
Toutouig…

Toutouig…
Toutouig, lala, ta paourig
Poent eo serra da lagadig
Toutouig…

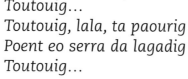

Toutouig est l'équivalent
breton de "dodo".

Fais dodo mon petit enfant
Fais dodo
Ta maman est là, mon petit écureuil
Près de ton berceau, mon petit écureuil
Fais dodo mon petit enfant
Fais dodo

Fais dodo...
Ta maman est là, mon petit agneau
Pour toi elle chante sa petite chanson
Fais dodo...

Fais dodo...
Jadis elle a pleuré souvent
Mais aujourd'hui elle rit, ta petite maman
Fais dodo...

Fais dodo...
Fais dodo mon pauvre petit
Il est temps de fermer tes petits yeux
Fais dodo...

Ils sont trois

Normandie

Ils sont trois qui veul 't'a- voir ma fil - le Ils sont deux qui ne l'au-ront pas

Ja - mais je n'ou - blie - rai Le fils du cou - peur de pail - le

Ja - mais je n'ou - blie - rai Le fils du cou - peur de blé

Ils sont trois qui veul't avoir ma fille
Ils sont deux qui ne l'auront pas
Jamais je n'oublierai
Le fils du coupeur de paille
Jamais je n'oublierai
Le fils du coupeur de blé

Dans la tête de la mère qui berce, passent aussi d'autres pensées, d'autres rêveries.
C'est ainsi qu'on entend dans cette berceuse le souvenir d'une chanson populaire connue.

Passe la Dormette

Saintonge

Pas - se la Dor - met - te   Pas - se vers chez nous Pour

en - dor - mir Ni net - te   Jus - qu'au point du jour

Passe la Dormette
Passe vers chez nous
Pour endormir Ninette
Jusqu'au point du jour

Dans l'Ouest, la Dormette (ou l'Endormette) est une femme bienveillante qui apporte
le sommeil. Elle fait partie de ces personnages imaginaires qu'on retrouve sous différentes
formes : "Pitchot Ome" (Petit Homme) dans le Languedoc, "Petit Bonhomme Dormi" en
Bretagne, "Grand'mère à poussière" en Picardie et le plus répandu : "Le Marchand de sable"…

O Ciuciarella

Corse

O Ciu - cia - rel - la N'un saï quan - tu t'a - do - ru Le to bel - lez - ze le to cul - la - ne

d'o - ru   Ciu - cia - rel - la an zu - ca - ra - ta   Quan t'è lon - ga   sta nu - ta - da

Faï   la nin - na,   faï   la   nan - na   Al - le - grez - za   di ma - mo na

O Ciuciarella !
N'un saï quantu t'adoru
Le to bellezze, le to cullane d'oru.
Ciuciarella anzucarata,
Quant'è longa sta nutada !
Faï la nina, faï la nana
Allegrezza di mamona !

Cula n'è vogliu
Quassu per sè cullette,
Ci so le cabre
Le muvrè e le cervette
Anassu so li trè cunigli
Corri tu sè tu li pigli
Faï la nina, faï la nana
O spéranza di mamona !

8

Ma petite fille
Sais-tu que je t'adore !
Tu es si belle, avec tes boucles d'or
Petite fille si douce
Comme est longue cette attente !
Faï la nina, faï la nana
Fière joie de tes parents !

Là-haut, j'veux grimper
Tout au long des sentiers
Où il y a les chèvres
Les moutons et les biches
Là-haut sont les trois lapins
Cours, si tu peux les attraper
Faï la nina, faï la nana
Toi l'espoir de ta grand-mère !

9

Dors petit

Gascogne

Dors petit dors bien Dors petit jus-qu'à de-main Le pa pa la-bour' La maman conduit Le

grand frèr' re-gard' La grande sœur danse Au pont du Ta- la Sou - pe de pain blanc Ce soir

on te fe-ra Soum soum bé- ne bé- ne bé- ne Soum soum bé- ne bé- ne doun

Dors, petit, dors bien
Dors, petit, jusqu'à demain
Le papa laboure
La maman conduit
Le grand frère regarde
La grande sœur danse
Au pont du Tala
Soupe de pain blanc
Ce soir on te fera
Soum, soum, béne, béne, béne
Soum, soum, béne, béne doun

On retrouve ici le refrain déjà vu, enrichi de détails
sur la vie quotidienne et familiale.

Qui frappe ?

Bourgogne

Qui frap - pe qui frap - pe Mon ma - ri est i - ci Il n'est
pas à la cam - pa - gne Comme il l'a - vait pro - mis (Parlé :) Qu'est-ce que tu dis donc là, ma femme ?
Je ber - ce le pe - tit mi - mi Je ber - ce le pe - tit

Qui frappe, qui frappe ?
Mon mari est ici
Il n'est pas à la campagne
Comme il l'avait promis
Parlé : Qu'est-ce que tu dis donc là, ma femme ?
Je berce le petit mimi
Je berce le petit

Se canto

Pyrénées

Se can - to que - can - to Can - to pas' per
you Can - to per ma mi - o Qu'ès a - len de you

Debat ma fenestro
At oun auselou
Touto la ney canto
Canto sa cansou

Se canto que canto
Canto pas'per you
Canto per ma mio
Qu'ès alen de you

Aqueros mountagnos
Que tan hautes soun
M'empéchoun de beyre
Mas amours oun soun

Bassas-bous, mountagnos
Planos, aoussas-bous
Per que posqui beyre
Mas amours oun soun

Aqueros mountagnos
Tan s'abacheran
Et mas amourettos
Se rapproucharan

Bien qu'elle ne soit pas à proprement parler une berceuse,
cette chanson si célèbre dans le Sud-Ouest a bercé tant d'enfants
que nous ne pouvions pas l'oublier.

Devant ma fenêtre
Il y a un oiseau
Toute la nuit il chante
Il chante sa chanson

Qu'il chante, qu'il rechante
Il ne chante pas pour moi
Il chante pour ma mie
Qui est loin de moi

Ces montagnes, ces montagnes
Qui sont si hautes
M'empêchent de voir
Où sont mes amours

Baissez-vous, montagnes
Plaines, haussez-vous
Pour que je puisse voir
Où sont mes amours

Ces montagnes, ces montagnes
Plus elles s'abaisseront
Plus mes amourettes
Se rapprocheront

Dodo, ti pitit' maman

Antilles

Do - do ti pi - tit' ma - man Do - do ti pi - tit' ma - man -

Si ou pas do - do crab' la va man - ger Si ou pas do - do crab' la va man -

ger Do - do pi - tit' Crab' lan - ca la lou Do - do pi - tit' Crab' lan - ca la lou

Dodo, ti pitit' maman
Dodo, ti pitit' maman
Si ou pas dodo crab'la va manger
Si ou pas dodo crab'la va manger
Dodo pitit, crab lanca la lou
Dodo pitit, crab lanca la lou

Le "crabe lanca lalou" est un plat très apprécié aux Antilles. De même qu'on retrouve en France métropolitaine des expressions comme "mon sucre d'orge", le bébé est ici comparé à une gourmandise. On retrouve là encore un mélange de menace (si tu ne dors pas, le crabe va te manger) et d'apaisement (le crabe cuisiné qui ne fait plus peur).

La poule grise

Poitou et Ouest de la France

L'é - tait u - ne poule gri - se Qu'al - lait pon - dre dans l'é - gli - se

Pon - dait un p'tit co - co Que l'en - fant man - geait tout chaud

L'était une poule grise
Qu'allait pondre dans l'église
Pondait un p'tit coco
Que l'enfant mangeait tout chaud

L'était une poule blanche
Qu'allait pondre dans la grange...

L'était une poule jaune
Qu'allait pondre dans le chaume...

L'était une poule beige
Qu'allait pondre dans la neige...

L'était une poule noire
Qu'allait pondre dans l'armoire...

Bing balon

Boulonnais

Bing ba - lon   Klok d'É- non   Qui ch'est qui   seun' ?   Ch'est ch'be - dew   Qui ch'est qu'est mort ?

Ch'est ch'ka-ron Qui ch'est qui l'a dit ? Ch'est ch'Ma-rie Et   d'où qu'al' est ? Al' est   din ch'ma - ré Et

quô qu'é fé ? Al tré   chin bo - dé Pour   vind' du   lé   A   chés In - glés   A dey sous l'pot d'lé

Bing balon
Klok d'Énon
Qui ch'est qui seunne
Ché ch'bedew
Qui ch'est qu'est mort
Ch'est ch'karon
Ki ch'est qui l'a dit
Ch'est ch'Marie
Et d'où qu'al est
Al est din ch'maré
Et quô qu'é fé
Al tré chin bodé
Pour vind' du lé
A chés Inglés
A dey sous l'pot d'lé

Le parler boulonnais qui appartient au picard diffère pourtant assez nettement
de celui qui se parle dans le Nord. Nous en avons ici un exemple étonnant,
dont la musique imite le rythme de la cloche.

Bing balon
La cloche d'Énon
Qui c'est qui sonne ?
C'est l'bedeau
Qui c'est qui est mort ?
C'est l'charron
Qui c'est qui l'a dit ?
C'est Marie
Et où elle est ?
Elle est dans l'marais
Et qu'est-ce qu'elle fait ?
Elle trait son baudet
Pour vendre du lait
Aux Anglais
A deux sous le pot de lait

La berceuse du petit loir

Simone Ratel / Jacques Douai

Bien au creux bien au chaud Mon gras mon doux mon beau Poil lui - sant patte fine

Refrain

Mon pe - tit loir dors Un pe - tit loir qui dort Dort et dîne dîne et dort

Fin **2.**

Un pe - tit loir qui dort Dort dîne dîne dort Voi - ci l'hi - ver ve -

nu Les pe - tits rats tout nus Ni - chent dans la fa - rine

3.

Mon pe - tit loir dort Aux ar - bres du ver - ger Bois sec no - yaux ron -

gés Le vent chan - te fa - mi - ne Mon pe - tit loir dort

Bien au creux bien au chaud
Mon gras mon doux mon beau
Poil-luisant, Patte-fine
Mon petit loir, dors

Un petit loir qui dort
Dort et dîne, dîne et dort
Un petit loir qui dort
Dort, dîne, dîne, dort

Voici l'hiver venu
Les petits rats tout nus
Nichent dans la farine

Aux arbres du verger
Bois sec, noyaux rongés,
Le vent chante famine
Mon petit loir dort

Il se crée toujours de nouvelles berceuses, qui s'ajoutent au répertoire traditionnel. Nous en avons choisi une particulièrement réussie, parmi bien d'autres. Écrite par Simone Ratel, elle fut mise en musique par Jacques Douai en 1957. Elle a depuis enchanté de nombreux enfants et continue à se transmettre aussi bien par l'enregistrement qu'oralement comme il se doit pour une vraie berceuse.

Soum soum

Languedoc

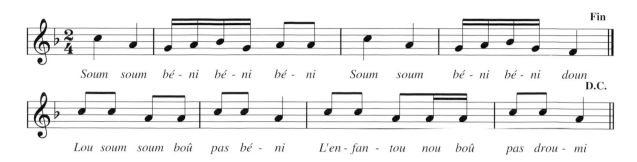

Soum soum bé - ni bé - ni bé - ni Soum soum bé - ni bé - ni doun

Fin

D.C.

Lou soum soum boû pas bé - ni L'en - fan - tou nou boû pas drou - mi

Soum, soum, béni, béni, béni
Soum, soum, béni, béni doun
Lou soum soum boû pas béni
L'enfantou nou boû pas droumi
Soum, soum, béni, béni, béni
Soum, soum, béni, béni doun

Soum, soum, béni, béni, béni
Soum, soum, béni, béni doun
Lou soum soum que bienera
Lou maynat que s'adroumira
Soum, soum, béni, béni, béni
Soum, soum, béni, béni doun

Soum, soum…
Lou soum soum qu'ey arribat
E lou nin que s'ey aninat
Soum, soum…

Sommeil, sommeil, viens, viens, viens
Sommeil, sommeil, viens, viens donc
Le sommeil ne peut venir
L'enfant ne peut pas dormir
Sommeil, sommeil, viens, viens, viens…

Sommeil, sommeil…
Le sommeil arrivera
Et l'enfant s'endormira…

Sommeil, sommeil…
Le sommeil est arrivé
Et l'enfant s'est endormi…

Autour de cet appel : "Sommeil, sommeil, viens, viens donc" existent, dans tout la zone de langue d'oc, de nombreuses variantes de texte et de mélodie.

On chante aussi cette berceuse sur cet air :

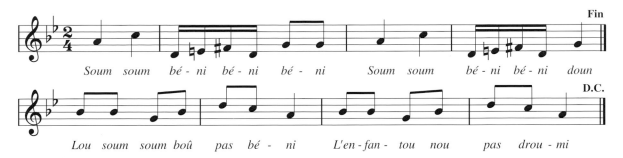

Soum soum bé-ni bé-ni bé-ni Soum soum bé-ni bé-ni doun

Lou soum soum boû pas bé-ni L'en-fan-tou nou pas drou-mi

ou celui-ci autour du Béarn :

Soum soum bé-ni bé-ni bé-ni Soum soum bé-ni bé-ni doun

Direction éditoriale : Karin Schepping
Maquette de couverture : Aline Fall
Dessins : Anne Hofer

Photogravure, impression : Cube Factory

ISBN : 2-35111-004-8
Dépôt légal : février 2005
Achevé d'imprimer dans l'UE en janvier 2005